MORD IM INTERNET

von Richard F. Murnau

Ernst Klett International
Stuttgart

Für Mary

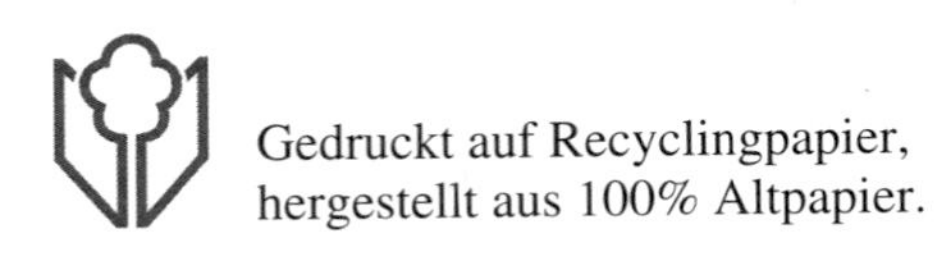

1. Auflage 1 ^{5} | 2002

Zeichnungen: Monika May-Vetter; S. 54/55: Karin Mutter
Druck: Gutmann + Co. GmbH, 71438 Talheim

ISBN:3-12-**675720**-0

Liebe Leserinnen und Leser,

diese Kriminalgeschichte ist in einfachem Deutsch geschrieben.
Spezielle Wörter, die nicht im Grundwortschatz Zertifikat Deutsch enthalten sind oder hier eine besondere Bedeutung haben, sind im Text mit ° markiert, zum Beispiel „tippte° ... ein“.
Dazu finden Sie im Glossar eine einfache Erklärung auf deutsch.
Für besondere Wörter und Ausdrücke zur Landeskunde, mit * markiert, finden Sie Erklärungen im Landeskunde-Teil, übrigens auch einen Stadtplan von Köln.

Tschö!*
Und viel Spaß beim Lesen
wünscht Ihnen

Richard F. Murnau

Kapitel 1

http://www.con.tq.pal...

Mit großen Augen tippte° sie die Daten ein. Was sie dann sah, sah sie das letzte Mal. Ihr Kopf schlug nach vorn auf die Tastatur°, und sie bewegte sich nicht mehr.
Eine Hand in schwarzem Handschuh kam von hinten, schaltete den PC ab. Das Licht im Büro ging aus. Und dann war Stille und Dunkelheit.

Blitze des Fotografen zuckten, des Polizeifotografen. Von allen Seiten wurde sie fotografiert, so wie sie lag, als ob sie

die Tasten° küssen würde.
Alfred Krummsiek, Direktor von EIT (EXPORT-IMPORT-TRANSPORT) machte ein weinerliches° Gesicht:
„Sie hat einfach zu viel gearbeitet, die Gute, ich habe sie immer gewarnt. Man ist doch nicht mit seinem Betrieb verheiratet. Und das noch am Wochenende ..."
Kommissar Klein sah den Sprecher mit einem Ausdruck von Langeweile und Antipathie° an.
Der Direktor gab dem Kommissar seine Ablehnung ebenfalls klar zu verstehen:
„Wozu die Ermittlung°? – Herzschlag°, das sieht man doch. Ach die Arme! Arbeiten Sie mal so viel ..."
Das war dann doch etwas zu viel, und man hörte ein „Tschuldigung°", was Kommissar Klein nicht hinderte, amtlich weiterzumachen.
Das Ergebnis war mager: Anscheinend tatsächlich Herzschlag°, sagte auch dann der Gerichtsmediziner°. Es war nichts Besonderes festzustellen: keine Gewalt, nichts.
Die Mordkommission° war nur gekommen, weil die Putzfrau am Montagmorgen angerufen hatte und zwar nicht zuerst Herrn Krummsiek, sondern sofort die Polizei.

*

Die Leiche° sollte gerade abtransportiert werden, der Kommissar und seine Kollegen wollten gerade gehen, da geschah etwas Unerwartetes.
Zur Tür hereingerast° kam ein Mann in hellem Regenmantel mit hochrotem Kopf, in Begleitung einer rothaarigen Frau.
Mit einem energischen „Halt!" störten sie das gemütliche Ende der polizeilichen Ermittlung°.
Dass sie störten, das war in den Gesichtern von Klein und Krummsiek zu sehen. Zum ersten und einzigen Mal waren sie der gleichen Meinung:
„Was wollen Sie denn hier? Was erlauben Sie sich?"
So schnell wie man eine Pistole ziehen kann, zogen der Mann und seine Begleiterin ihre Visitenkarten:

JÜRGEN GRIEFAHN Detektiv-Büro Mühlengasse 5 50667 Köln	MARGARETHE CHANDLER Detektivin Ebertplatz 12 50668 Köln

„Und was sollen wir damit?“, fragten fast einstimmig Klein und Krummsiek, was Klein ziemlich peinlich° war.
„Sie sind Herr ...“, fragte die Frau.
„Krummsiek, Direktor der Firma, und das ist ...“
„Klein, Kommissar Klein.“
„Danke. Also, Herr Krummsegel, wir ...“
„Krummsiek!“
„Entschuldigung. Wir sind von der LVA, von der Landesversicherungsanstalt°.Wir wurden beauftragt°, sofort hierher zu kommen ...“
Kommissar Klein unterbrach ihn:
„Woher wissen Sie ...?“
„Das ist im Auftrag der LVA. Die Mutter, Frau Hofmeier, hat natürlich sofort die Versicherung angerufen. Und die hat uns beauftragt°. Bei uns geht das schnell.“
Griefahn trat auf den Kommissar zu:
„Wollen Sie den schriftlichen Auftrag sehen? Hier ...“
Klein winkte ab: „Nicht nötig.“
Herr Krummsiek wurde sichtlich nervös:
„Und was wollen Sie hier?“
Blitzartig° zog Griefahn ein Papier aus seiner Mappe:
„Also, ein Versicherungsfall, Lebensversicherung, verstehen Sie? Die LVA muss sofort wissen, ob es sich um natürlichen Tod handelt oder um einen Unfall. Die Differenz in der Versicherungssumme ist riesig!“
„Jetzt aber raus“, sagte Krummsiek, „oder ich hole die Polizei!“
„Die ist schon hier“, meinte Herr Klein, dem die Sache langsam Spaß machte:
„Schauen Sie sich ruhig um. Nicht wahr, Herr Krummsiek, Sie haben doch nichts zu verbergen°?“

Klein wartete nicht die Antwort ab, sondern lud die beiden ein, hoch ins Büro zu kommen, wo Frau Hofmeier immer noch lag.

*

„Also, ein Unfall kann das nicht sein“, meinte Krummsiek, „ein Büro ist doch der sicherste Arbeitsplatz der Welt.“
Es war eine makabre Situation, die Personengruppe hinter der zusammengesunkenen Frau. Sie lag da wie im Schlaf, die rechte Hand auf der Maus.
„Look, Jürgen, this is strange, look at her fingers - and this paper!“, flüsterte° Maggie ihrem Partner zu.
„Was soll mit ihren Fingern sein? Und was für ein Papier?“ Jürgen verstand nicht.
Kommissar Klein wurde etwas ungeduldig: „Jetzt ist doch alles klar, oder?“
Und zwei Männer legten sie auf eine Bahre und trugen sie weg. Ein kleines Papier fiel aus ihrer linken Hand, fiel zu Boden, wurde nicht beachtet, und Herr Krummsiek warf es weg – Ordnung muss sein.
Sie standen nun unten am Ausgang und wollten sich gerade verabschieden, da fiel° Maggie etwas ein:
„Mein Notizbuch°, sorry, ich habe es oben liegen gelassen - Moment!“
Sie rannte hoch und kam kurz darauf wieder zurück.
„So, auf Wiedersehen, Herr Krummsäbel, viel Erfolg!
Herr Klein, besten Dank für Ihre unbürokratische Unterstützung.“
„Tschö!*“
„Tschö!“

*

„Maggie, was war das mit dem Notizbuch° vorhin? Seit wann schreibst du etwas auf?“, fragte Jürgen auf der Rückfahrt eher nebenbei.
Es war eine unangenehme Fahrt, bei Nacht und Regen.
„Sei nicht so frech°! Wenn du dort an Ron's Pub stoppst, er-

klär' ich 's dir – bei einem Pint-o-bitter°."
„Na gut, der Versicherungsjob ist sowieso eine knochentrockene Sache. Aber nur eins, ich muss noch fahren."
Das Lokal war fast leer und nach ein paar Schluck Bier legte Maggie etwas vor Jürgen hin.
„Was ist das?", fragte er gelangweilt°.
„Kennst du keine Diskette?"
„Doch ..., sag mal, du hast doch nicht ...?"
„Ja, ich habe. Erinnerst du dich noch an ihre rechte Hand, die Finger auf der Maus? Die hat da noch was gespeichert°. Vielleicht ist da was drauf."
Dann suchte sie in ihrer Handtasche herum: "Und da ist noch dieses Papierchen. Moment, irgendwo habe ich es ..."
Als sie hinausgingen, fühlten sie sich wie Diebe°.
Aber sie trennten sich noch nicht, sondern fuhren noch mal ins Büro.
Sie legten die Diskette ein, fanden die Datei 'con.tq.doc' und wählten sie an.
Unter

http://www.con.tq.pal

erschienen verschiedene Angaben - Namen, Zahlen, Exportdaten. Dann kam noch eine Reihe unverständlicher Zeichen und dann war Schluss.
Sie sahen sich an und waren ratlos: nichts Besonderes.
Trotzdem fühlten sie etwas Unerklärliches°, etwas Neues kam auf sie zu.
Im Büro wurde es auf einmal kühler.
„I feel cold, Jürgen, mir ist kalt - lass uns gehen."
„Ja, gehen wir. Gute Nacht! Pass auf dich auf."

Kapitel 2

Nachts klingelte das Telefon, nachts um zwei. Krummsiek schrak° auf und griff° zum Hörer.
„Hallo, Freddy, aufgewacht?"
„Was?? Ich bin nicht euer Freddy, ich bin Alfred Krummsiek, Herr Krummsiek ..."
„O.k., Herr Direktor! Was war das mit der Polizei heute? Was ist da schief° gelaufen?"
„Nichts, gar nichts. Die haben nur einen Anruf gekriegt, von der Putzfrau."
„Wer ist das, diese Putzfrau?"
„Nein, lasst die in Ruhe. Das war nur ein Unfall, ist aber erledigt."
„Einen Unfall nennst du das, Freddylein, Direktorchen? Wir können uns keine Probleme leisten. Habe ich das nicht gesagt?"
„Ja, weiß ich, tut mir Leid, aber es ist erledigt. Auch die anderen Typen sind weg."
„Was für Typen? Du machst mich langsam unruhig!"
„Nein, nichts. Nur so ein Detektiv-Pärchen° von einem Versicherungsverein. Die haben nachgeguckt und sind wieder abgehauen°. Die Hofmeier hatte eine Lebensversicherung ..."
„Ich sag' dir, wenn da was draus wird, bist du dran°! Sag mal die Namen ..."
„War alles harmlos°, was sollte ich tun?"
„Alles harmlos? Ich glaube, du bist zu harmlos°. Also, was ist mit den Namen? Wird's bald?"
„Ja, Moment, hier habe ich sie, die Visitenkarten."

*

Die Tür fiel etwas zu laut ins Schloss. Maggie schrak° auf und sah überrascht Jürgen vor sich.
„Was, du schon im Büro?"
„Ja, ich konnte nicht schlafen, bin hundemüde°."
„Me too, ich auch. Diese Sache, very strange ..."

„Was ist daran so komisch?“
„Einfach Instinkt, etwas stimmt nicht ...“
„Du siehst Gespenster°. Komm, Maggie, hier ist ein Kaffee. Machen wir den Bericht für die LVA fertig, o.k.?“
Sie arbeiteten fast drei Stunden an dem Bericht, der wie alle Berichte wertvolle Lebenszeit kostete.
Dann meinte Maggie plötzlich:
„Lass uns noch mal sehen, was auf der Diskette ist. Das ist sicher spannend!“
„Aber ich kann nichts Besonderes erkennen. Listen von Firmen, Export-Import. Nicht meine Spezialität. Und ein paar verschlüsselte° Daten. Das macht heutzutage fast jede Firma. Langweilig.“
„So langweilig, dass jemand gestorben ist!“
„Du siehst Gespenster°, Maggie.“
„No, Sir. Ich glaube, da ist was dahinter°. Aber jetzt haben wir keine Zeit dafür. Ich mache eine Kopie, dann kann das Ding ruhig in diesem Disketten-Chaos untergehen.“
„Ja, eine richtige deutsche Ordnung ist das nicht, aber doch ein tolles Büro!“
„Toll, mitten im Zentrum. Genau gegenüber deiner Lieblingskneipe*.“

*

Krummsiek betrat schlecht gelaunt und unausgeschlafen° sein Büro. Der Platz, an dem am Freitag noch Frau Hofmeier gearbeitet hatte, war leer.
Als er seinen Mantel auszog, fiel° ihm etwas ein:
„Yvonne, wer macht die Arbeit von Frau Hofmeier weiter?“
„Was weiß ich? Jetzt bleibt sie vorläufig liegen.“
„Das geht doch nicht! Hacks! Herr Hacks, wo sind Sie denn?“
An der Tür erschien ein Kopf, schmal und hart.
„Na also, gehen Sie doch mal rüber. Was? Nicht Ihre Sache? Jetzt aber los! Holen Sie die Diskette mit der Kundenkartei° SONDER-EIT. Die muss noch im PC stecken.“
Nach kurzer Zeit erschien Hacks wieder. Krummsiek fühlte sich gestört.

„Was wollen Sie denn? Sie sollen doch die Sachen von Frau Hofmeier aufarbeiten.“
„Mache ich ja gern, aber da fehlt etwas.“
„Was denn? Bei der Hofmeier hat nie was gefehlt.“
„Die Diskette fehlt, die Diskette SONDER-EIT.“
„Was?? Können Sie nicht mehr richtig gucken? Vielleicht liegt die irgendwo herum.“
Hacks schüttelte° unmerklich den Kopf.
Eine Stille war im Raum, als bliebe die Luft stehen.
„Wer – wer war dort, danach ...?“
„Aber sie sagten doch selbst, die Polizei!“
„Danke, Hacks, ich brauche Sie im Moment nicht mehr.“
„Aber die Datei ist noch da, nur die Diskette fehlt ...“
„Natürlich, Sie Schlaumeier°, aber die Diskette ist weg! Raus hier, gehen Sie an Ihren Schreibtisch!“
Hacks warf° ihm einen kurzen Blick zu und ging. An seinem Schreibtisch machte er sich einige Notizen. Und dann telefonierte er:
„Hello, Mr Crushanks, kann ich sprechen ...?“
Krummsiek versuchte indessen seine Gedanken zu ordnen.
Auf einmal wurde ihm ganz heiß: Er hatte einen Verdacht°.

*

Er wurde durch einen Anruf aus seinen Gedanken gerissen:
“Hallo, Freddy, Direktor und so weiter, wie war das mit diesen Detektiven? Die lassen doch immer was mitgehen°. Direktorchen, bist du noch da?“
„Ja also, da ist noch was: Ich suche gerade eine Diskette, die mit der neuen Adressenliste.“
Am Telefon war erst ein langes Schweigen, dann brach° es hervor:
„Bist du wahnsinnig, lebensmüde? Die Hofmeier? Ich muss Schluss machen, der Boss ... Du bleibst in deinem Bau°, bis wir uns wieder melden. Verstanden?!“ Und aufgehängt.
Krummsiek legte den Hörer mit zitternder° Hand auf. Er musste schnell handeln.

*

Jürgen und Maggie hatten endlich den Bericht fertig und sahen sich das Ergebnis an.
„Jürgen, das ist eigentlich nicht unsere Sache, es geht uns zwar nichts an und erst recht nicht unsere Arbeit für die Versicherung, aber ..."
„Ich ahne° schon was ..."
„Listen, there's something strange: Die Finger waren so auf den Tasten° und auf der Maus, als würden sie noch arbeiten."
„Und was ist daran so komisch?"
„Jürgen, wenn man einen Herzanfall° kriegt, fasst man sich ans Herz. Man steht vielleicht auf, aber man schreibt nicht einfach weiter."
„Also, das ist mir zu kompliziert."
„Doch Jürgen, denk mal nach. Fiel° dir das nicht auf, dieses komische Verhalten von Krummsiek?"
„Ja, das schlechte Gewissen°, dass er die Hofmeier so ausgenützt° hat."
„Nein, nein, der hat doch was zu verbergen°, das sagt mein Instinkt!"
„Du hast Recht, Maggie, dem trau° ich auch nicht. Aber es geht uns nichts an."
„Listen, I got an instinct, a scent ..."
„ Da ist sie wieder, die 'Jägerin Diana'."
„Yes, my hunting instinct, mein Jagdinstinkt° ist erwacht. Come on, wir sind doch Detektive!"
„Ja schön. Aber warum eigentlich?"
„Willst du denn ein Leben lang diesen Versicherungsjob machen?"
Jürgen blickte ihr lange in die großen grünen Augen, als ob er etwas in ihnen suchte.
„Du meinst ..."
„Ja, ich meine – let's try, versuchen wir es einfach mal."
„Aber Maggie, in wessen Auftrag? Mach nie so was ohne Auftrag!"
„Ist doch ganz einfach: Ich beauftrage° dich und du beauftragst° mich. Zufrieden?"

„So einfach ist das. Darauf brauche ich erst mal ein Kölsch*. Drüben im 'Bären'. Und einen 'Halven Hahn'*, die Sache hat mich hungrig gemacht."

Im 'Bären' wurde es dann konkreter:
„Na gut, Maggie, fangen wir an. Beginnen wir mit unseren Recherchen°. Das, was wir von Krummsiek haben, reicht natürlich nicht."
„Und was meinst du, wo fangen wir an?"
Jürgen wurde auf einmal aktiv:
„Maggie, ganz einfach. Wir teilen uns die Arbeit auf. Du gehst zu Frau Hofmeier, zur Mutter. Ich gucke herum, was ich in der Umgebung über ihre Tochter erfahren kann. Sie ist sicher auch mal in eine Kneipe* gegangen, hatte Freunde ..."
„Das dachte ich mir schon, welchen Teil du dir aussuchst."
„Na klar, von Frau zu Frau, von Mann zu Mann."
„Hör bloß mit diesen Sprüchen auf! Wann treffen wir uns?"
„Übermorgen, hier um zwölf. Und – pass auf dich auf!"
Sie legte kurz und fein ihre Hand auf seine Schulter:
„Du auch."

Kapitel 3

Maggie saß Frau Hofmeier gegenüber. Sie musste sich bei der alten Dame entschuldigen, denn der Tod ihrer Tochter war für sie so, als ob das letzte Licht gelöscht° sei.
Frau Hofmeier saß da, mit rotgeränderten Augen, leichenblass und starr°. Gerade noch, dass sie Maggie etwas anbot, wo sie doch auf Gastfreundschaft immer so großen Wert legte und dabei nie die 'Contenance', ihre Fassung° verlor, gleichgültig, was passierte.
Schließlich, nach zwei Kaffee, begann sie zu sprechen:
„Frau Chandler, sehen Sie, sie war ein so wunderbares Mädchen, aber sie hatte eben auch Pech. Was konnte° sie dafür, dass sie nicht gerade eine Schönheit war. Sie hat sich in die Arbeit gestürzt°. Fast die ganze Firma lebte davon."
„Ach, Frau Hofmeier, das ist leider der Alltag von vielen."
„So war ihr Leben. Bis dann - von einem Tag auf den andern - sich alles änderte. Vor fast genau einem Jahr erzählte sie mir, dass in der Firma etwas komisch liefe. Da sei eine seltsame Atmosphäre ..."
„Wissen Sie etwas Konkretes?"
Sie schüttelte° den Kopf und schwieg. Erst als sie sich wieder gefasst° hatte, redete sie weiter.
„Nach einiger Zeit fielen° ihr auch merkwürdige Dinge auf: Es tauchten° neue Produkte auf, neue Adressenlisten, verschlüsselte° Daten – aber sie sagte nie etwas Genaues."
Die alte Dame bekam jetzt etwas Farbe in ihre Wangen.
„Eines Tages fing sie an Sachen aufzuschreiben, wurde immer unruhiger, sagte aber nichts."
„Hat sie diese Notizen hier gelassen?"
„Ja, in ihrem Zimmer. Wir müssen nur nachsehen."
Die alte Dame stand auf und ging mit Maggie in einen Raum, der wie das Zimmer einer Abiturientin° eingerichtet war. Sogar ein Poster von Little Richard hing noch da.
Sie machte ein Fach im Schreibtisch auf und hielt Maggie ein grünes Heft hin.

„Das ist es, von Eva. Ach so, und hier ist noch der Schlüssel zu ihrem Appartement draußen in Lövenich. Wenn Sie wollen, fahren Sie mal dort hin. Also, ich weiß nicht, warum ich das alles tue. Ich kenne Sie doch gar nicht."
Jetzt wurde sie still und sank wieder in sich zusammen, wirkte wie entrückt° in eine andere Welt.
Maggie merkte, dass der Schmerz wieder von ihr Besitz ergriffen hatte. Sie verabschiedete sich, ließ ihre Karte zurück und fuhr innerlich aufgewühlt° nach Hause.
Dort sah sie sich die Notizen an.
Aber da waren nur ein paar persönliche Namen und Telefonnummern zu finden, und dazwischen immer wieder ein unverständliches Wort.
Je länger sie sich damit beschäftigte, desto mehr fühlte sie die persönliche Nähe von Eva, als ob sie eine gute Freundin von ihr wäre.
In ihr stieg langsam aber stetig der Zorn empor. Und ihre Gedanken wurden jetzt klarer.

*

Es war gegen vier Uhr nachmittags, als Krummsiek in der Weidengasse ankam und vor einem hässlichen Büroblock im Bauhaus-Stil stand. An der Garageneinfahrt zur Firma ELMO Print-Studio drückte er auf die Klingel. Die Stahltür sprang° mit einem Knall auf.
Vorsichtig trat er ein. Er war zu einem *Urgent Meeting* gerufen worden. Und das bedeutete nichts Gutes.
Nachdem er zwei Stockwerke hochgegangen war, sprang° nach Klingeln wieder eine Tür auf und er war in einem Büroraum, den er schon kannte: Werbe- und Grafik-Kram°, viel Büromüll, keine 'Büromäuse', wie er Büroangestellte zu nennen pflegte°.
Ein kleiner älterer Mann mit kleinen Rattenaugen° begrüßte ihn unfreundlich und zeigte ihm einen Platz in einem unbequemen Bürosessel.
„Die anderen kommen gleich."
Die Zeit zog sich endlos hin und nichts passierte. Der Kleine,

von dem er nur den Spitznamen ‘Retzi’ kannte, sagte nichts und suchte nur in Papieren herum.
Auf einmal ging die Tür auf. Herein kam eine Gruppe wie Richter zu einer Gerichtsverhandlung. Krummsiek sprang° instinktiv auf.
„Lass dich wieder fallen, Freddy. Kommen wir zur Sache°.“
Es blieb ihm gerade noch Zeit, die Figuren zu mustern. Da war der Chef, Ted Crushanks. Aber er war nicht der wirkliche Boss, nur der Verbindungsmann zu den eigentlichenBossen, die er nie sah.
Dann Natascha, mit Familienname Sorbskova oder so, Polin, eine grelle Schönheit mit der Aura einer Schlange.
Und vor ihr ein Mann, den er erst einmal gesehen hatte, breit und stark, mit langen Händen und mit dem verschlagenen° und sprungbereiten° Gesicht eines Dobermanns°. Es war Paul Sikorski, genannt ‘der Handwerker’, früher in Stasi°-Diensten, jetzt in anderen.
„Freddy, wach auf, hörst du eigentlich zu?“
Ted Crushanks, Regionalchef der Gesellschaft für Marketing von ‘Special Equipment’, richtete° seine wasserblauen Augen unter einem irischen Lockenkopf auf ihn.
„Die Sache mit der Hofmeier stinkt°. Saubere Arbeit, aber dann diese Schnüffler° und die Diskette! Wenn das die Bosse zu hören kriegen!“
Er machte mit der Hand eine Schnittbewegung° durch seine Kehle°.
„Aber das ist ...“
Krummsiek wurde barsch° unterbrochen.
„Jetzt halt mal die Luft an und hör gut zu: ab sofort keine Aktionen, bis ich mich wieder melde. Verstanden?“
Krummsiek nickte° eifrig.
„Den ganzen Schrott° bringst du irgendwohin in Sicherheit, bis über die Sache Gras° gewachsen ist, klar?“
„Ihr könnt beruhigt sein. Ich mache nur Normalbetrieb. Aber wo ist Stavros, der kriegt doch das Zeug.“
„Stavros? Wo der wohl jetzt ist?“
Der ‘Handwerker’ verzog seinen schiefen Mund und bleckte

die Zähne. Krummsiek fröstelte° bei dem Gedanken, was mit dem geschehen war.
„Paul, du übernimmst das Weitere und wirfst° auch ein Auge auf Freddy."

Der 'Handwerker' grinste° jetzt breit und wollte am liebsten gleich zur Sache° gehen, ließ jedoch seine Hände noch stecken und drehte sich langsam zu Ted:
„Nur mit Nachschub° mach' ich euch gesund."
Doch Retzi hatte ihm schon ein Päckchen in die Hand gedrückt.
„Und ich?", kicherte° Natascha.
Ted lachte kurz und bellend:
„Das kommt alles noch, wenn Freddy draußen ist."
Das war das Signal: Er durfte gehen und nervös grinsend stolperte° er hinaus. Beim Hinausgehen flüsterte° ihm Retzi noch zu:

„Mach Paul keinen Ärger, der hatte ‘ne schlechte Kindheit.“

*

Drinnen lief dann nach kurzem Gelächter° und einem barschen° Befehlston von Crushanks noch ein Telefongespräch. Hier sprach er ganz zivilisiert, mit höherer Stimme: „Selbstverständlich, Herr Direktor, kein Anlass, Herr Direktor, wird gemacht“, - und so weiter.
„Das war Brunni“, sagte er danach, „dem geht jetzt auch die Muffe°.“
„Wer ist Brunni?“, quäkte Natascha.
„Nichts für dich. Das war Herr Dr. Brunnthaler, Wirtschaftsreferent im Vergabeausschuss“, sagte er mit spitzem Mund, um den Beamten zu imitieren. „So was verstehst du nicht, meine Liebe.“
„Pass auf, Teddy, ich bin nicht deine ‘Liebe’, nicht wahr Paul?“
Paul knurrte° leise.
Crushanks warf° einen schnellen Blick auf sie und auf den ‘Handwerker’: „Das hätte ich nicht gedacht.“

*

Jürgens Aufgabe schien auf den ersten Blick interessanter als die von Maggie. Aber wo sollte er anfangen?
Er dachte über Eva Hofmeier nach: Wie lebte sie? Wie war ihr ‘gesellschaftliches Leben’? Was machte sie nach den Überstunden am Abend? Eine Kneipe*, ein Café, ein Restaurant waren denkbar. Aber welches Lokal?
Sie verlässt spät am Abend die Firma. Fährt sie immer sofort nach Hause? Wahrscheinlich nicht.
Geht sie in die Kneipe* gegenüber dem Betrieb? Nein, bestimmt nicht, eher ein paar Schritte weiter, die Straße runter.
Jürgen fuhr ein paar Mal um den Block, und da sah er ein Lokal, Kreuzstraße, Ecke Severinstor. Das war es vielleicht: ‘Dal padrone’ - ein italienisches Lokal, in dem man auch noch um zwölf Uhr nachts was zu essen bekommt.
Da frage ich nach, dachte er, und wurde sogleich fündig°!

Als er dem dicken Wirt und dem Mädchen am Schanktisch erzählte, was Eva Hofmeier passiert war, brach° es aus ihnen hervor:
„Was, die Eva ist tot, einfach so? Überarbeitet? Ne, ne, die war doch voller Energie, kam immer hierher, bestellte meist Penne Arrabiata und Trebbiano. Also, kurz hatte sie mal was mit Frank – sollte man nicht erzählen –, dann war er weg. Nein, die war prima. Ein paar Male war sie über ihren Chef genervt – „Krummsäbel“ oder „Krummsegel“, aber sonst ...? Der Teufel° soll den holen, der sie ...“
Als Jürgen mit schwerem Kopf das Lokal verließ, regnete es leicht. Er beschloss den Wagen stehen zu lassen und ging zur Straßenbahn.
Es wurde immer klarer: Die Frau war nicht eines natürlichen Todes gestorben. Sie war einem Verbrechen zum Opfer° gefallen. Bremsen quietschten – fast wäre er in Gedanken in ein Auto gelaufen!

*

Als sich Jürgen und Maggie wieder trafen, sahen sie sich an und verstanden sofort:
„Wir ...“, begann Maggie, und Jürgen setzte fort, „wir sind nicht nur Versicherungsfritzen°, wir sind ... Wir haben etwas aufzuklären° - ich hasse Ungerechtigkeit°!“
„Komm, wir gehen jetzt nicht mehr ins Büro.“
Er legte den Arm um sie, was er bisher nie getan hatte, und führte sie zum ‘Bären’.
Dort war wie immer ‘der Bär° los’.

Kapitel 4

Als Jürgen die Tür zum Büro aufschließen° wollte, stockte° ihm der Atem. Die Tür war schon offen. Vorsichtig trat er ein, und dann sah er es.
Das Büro lag in Trümmern°: Möbel waren umgestürzt, Papiere, Akten, Disketten lagen durcheinander, Schubladen waren herausgerissen und Schranktüren geöffnet. Es sah aus wie nach einem Erdbeben°. Es war klar: Jemand hatte das Büro 'besucht', um etwas zu finden.
Er griff° zum Telefon – das funktionierte noch. Er wollte Maggie anrufen - keine Antwort. Dann rief er sofort Kommissar Klein an. Und der kam zur gleichen Zeit an wie Maggie.
Die schoss° zur Tür herein und erfasste° mit einem Blick die Situation:
„Die Diskette!"
„Was für eine Diskette?", fragte Klein.
„Ach, das ist eine lange und unwichtige Geschichte."
„Aber offenbar doch nicht so unwichtig", meinte Klein misstrauisch.
„Erzählen wir Ihnen später", versprach Jürgen, „wir sind da auf einer Spur°."
Und schon hatte er sich verraten°.
„Spielen Sie jetzt Polizei?", warnte sie Klein. „Es geht doch nicht etwa um die Hofmeier-Sache?"
„Sie meinen den Fall Eva Hofmeier? Herr Kommissar, es wird Zeit, dass auch Sie sich der Sache annehmen°."
„Na, na, der 'Fall', wie Sie ihn nennen, ist abgeschlossen. Was wollen Sie noch?"
Maggie stieß Jürgen in die Seite und brachte ihn so zum Schweigen.
„So", sagte Klein, „Ihre Sache hier ist aufgenommen. Wir ziehen uns zurück. Hier ist meine Karte. Rufen Sie mich, wenn Sie Hilfe brauchen."
Und weg war er.

Als er draußen war, suchten die beiden nach den Disketten, nach dem Original und der Kopie. Das Original fand Jürgen im Schrank. Es hatte nur ein kleines Zeichen drauf und sah aus wie eine leere Diskette.
Maggie kam aus der Kaffeeküche mit der Kopie in der Hand: „Ich habe da einen sicheren Platz."
„Dann tu sie schnell wieder dort hin, das war sicher nicht das Ende!"

*

Es war ein Uhr mittags und Krummsiek ging in seinem Büro auf und ab.
Wo waren noch Papiere, Akten, die man nicht finden durfte? Und die nicht registrierten Kisten°, die ließ er erst mal in Halle D schaffen. Hacks erledigte das.
Aber die Diskette, die hatte er immer noch nicht. Das konnte

verdammt gefährlich werden. Nicht wegen der Polizei, die schaffte er schon. Vor lauter Vorschriften konnten die sich nicht bewegen. Aber 'die Bosse', das war heiß, wenn die was merkten!
Schließlich griff° er zum Telefon und zuckte° zusammen. Er hatte das Gefühl, dass jemand hinter ihm stand. Langsam drehte er sich um und sah noch, wie Hacks mit seinem versteinerten° Gesicht vorbeischlich°. Mit dem Rücken zur Wand wählte er die Telefonnummer: 0228/13888-405.
„Sekretariat Brunnthaler. Guten Tag, wen darf ich melden?"
„Hier ist Krummsiek, Dr. Krummsiek, ist privat, danke."
Er wurde durchgestellt.
„Brunnthaler."
„Krummsiek."
„Wer bitte? Was wünschen Sie bitte?"
„Dr. Krummsiek. Kann ich Sie mal kurz sprechen?"
„Wie bitte, Herr Krumm ..., tut mir Leid, ich habe zu tun. Sie müssen sich irren. Wiederhören!"
Und das Gespräch war beendet.
„Was wollen Sie?"
Hacks hatte die ganze Zeit in der Tür gestanden:
„Herr Direktor, die EX-KOM-Kisten° sind jetzt in Halle D. Aber die Frachtpapiere° fehlen."
„Na und?"
„Wir haben eine Kiste° aufgemacht. Und da waren Zünder° drin, Nadelzünder° ... Sie wissen schon."
„Hacks! Lassen Sie die Finger davon! Kiste° zu und den Schuppen° zu! Klar?"
„Und wenn die Kunden ...?"
„Kümmern Sie sich nicht um ungelegte Eier."
Krummsieks Nerven lagen blank°.

*

Als Jürgen und Maggie endlich aufgeräumt hatten und feststellten, dass wahrscheinlich nichts fehlte, war es fast sieben.
„Was können wir jetzt noch tun? Irgendetwas Produktives? Oder machen wir Schluss?"
„Schauen wir doch noch mal in die Diskette rein."

„Maggie! Lauter öde° Daten. Export-Import-Kram°."
„Come on, wenigstens ein paar Minuten."
„O.k., nur eine halbe Stunde. Ich muss unbedingt den neuesten Krimi mit 'Derrick' sehen."
„Willst du etwa von dem was lernen? Britische Kriminalgeschichten sind doch viel besser ..."
Also, die Diskette wurde eingelegt° und durchgesehen. Gerade studierten sie die Zeile

GrunchyFrederickSA.pharmaceutics/notice.b./PBC7
Oakland-San Silvestre ...,

als es an der Tür klingelte. Sie zuckten° zusammen.
„Ich guck mal nach", sagte Maggie.
Eine Weile war Stille, nichts war zu hören.
Dann sah er Maggie, diese schöne Frau, rückwärts auf sich zu kommen. Und er erkannte, dass einer vor ihr war und sie mit einem hässlichen großen Ding, mit einer Pistole, voran-trieb°.
„Her mit der Diskette", kam es dumpf° aus der Strumpfmaske.
„Was für eine Diskette?"
„Die von EIT, aber schnell!"
„Wie?? Was soll das? ... natürlich, kriegen Sie ..., aber lassen Sie uns in Ruhe."
Jürgen holte die Diskette aus dem PC und hielt sie hin.
„Das isse°", hörte man kaum vernehmlich. „Und jetzt alles löschen°, Tempo!"
Jürgen arbeitete, so schnell es ging.
„So, jetzt umdrehen!", wurde befohlen, „und so bleiben, sonst knallt's°!"
Sie hörten nur noch ein kleines Geräusch°, dann war Stille. Dann warteten sie fast eine Ewigkeit°.

Als sie unten das dumpfe° Geräusch° eines Motors hörten, drehten sie sich langsam um.
Nein, zuerst sahen sie sich an. Diesmal war ihnen ganz heiß. Maggie rollte ihre grünen Augen, ein bisschen zitterten° ihr die Hände.
Doch Jürgen sagte in der Art eines Jungen, dem ein Streich° geglückt ist:
„Die Diskette hat er, aber die Kopie nicht!"
Während er die Eingangstür abschloss und die Kette° vorschob, lief Maggie aufgeregt mit.
„Jürgen, his voice, seine Stimme, it remembered me of someone."
„Sie erinnert dich vielleicht an jemand aus deinem Club?"
„Nonsense. I'm sure, ich bin sicher, das war jemand, den wir kennen."

„Vielleicht Kommissar Klein?“
„Jürgen! Mach keine Witze°.“
„Aber was ist nur los mit dieser Diskette? Jürgen, schauen wir noch mal rein ... in die Kopie!“
„Du hast ja Nerven, nach so einem Überfall°.“
„Ich denke, jetzt wird es richtig heiß. Aber ich kann nicht tippen, meine Finger ..., mach du's!“
„O.k., mach' ich. Da haben wir's wieder: eine Liste von Namen, Firmen, Orten, Funktionen, Abkürzungen, nicht zu verstehen – auf jeden Fall international: USA, Polen, Deutschland, Slowakei, Mexiko, was ist das? – ah! Honduras, Venezuela – fast wie eine Reiseagentur.“
„Aber, Jürgen, was ist das?“

ERCOM.CIP.Bratisl./1356BAZF16/DETON.FUZE.F8 ...

„Ja, warte mal, das hat was mit Waffen zu tun, also – Zünder° sind das, für Bomben ...“
„Bombs, weapons!“
„Lies mal weiter, Maggie: da sind UZI, MPs – und hier: PREP.LAUNCHSYST.034FQ6m. Ich werd' verrückt: Dieser Krummsiek handelt mit Waffen, Waffensystemen.“
„Ja, und das ist wahrscheinlich 'smuggle'...“
„Maggie, du hattest Recht mit deinem Verdacht°. Waffenschmuggel°, ein Ring von Waffenschmugglern°.“
„Und das ist keine normale Kundenkartei°. Hier stinkt° etwas gewaltig. I smell a rat.“
„Krummsiek macht diese schmutzigen Geschäfte und Eva Hofmeier spielte mit, bis ...“
„Nein. Jürgen, auf keinen Fall, die hat nicht 'mitgespielt' – nein, sie wusste zu viel, das war's.“

Kapitel 5

Die Firma EIT lag im Dunkeln, nur in zwei Fenstern im zweiten Stock des Bürogebäudes brannte Licht. Ein Wagen näherte sich langsam der Garageneinfahrt. Das Tor öffnete sich und der Wagen fuhr hinein.
Krummsiek stieg aus, zog gemütlich seine schwarzen Handschuhe aus und betrachtete liebevoll die Diskette. Mit einem Mal fühlte er sich wieder stark.
Pfeifend° fuhr er mit dem Aufzug nach oben in sein Büro.
Gerade als er das Ganglicht einschalten wollte, sah er Licht durch die Glasscheibe seines Büros. Wieso war da Licht? Er war doch bei Tag weggefahren? Vorsichtig näherte er sich der Tür, öffnete sie mit einem Ruck° und sah vor sich, die Beine auf seinem Schreibtisch und eine seiner Gäste-Zigarren rauchend – den 'Handwerker'! Er erschrak so, dass er die Diskette fallen ließ.
„Was? Sie schon wieder?"
„Hereinspaziert, Freddylein, wo hast du dich denn herumgetrieben. Zu Hause warst du auch nicht."
Krummsiek hatte seine Fassung° wieder gewonnen:
„Runter von meinem Schreibtisch! Was erlauben Sie sich?"
Der 'Handwerker' bewegte sich nicht von der Stelle und grinste° nur: „Warum bist du denn auf einmal so frech°?"
„Hier! Ich hab' sie mir geholt. Und jetzt ist wieder alles in bester Ordnung."
Mit einem Ruck° sprang° der Handwerker auf, warf die Zigarre in den Papierkorb und griff° Krummsiek über den Tisch hinweg am Kragen.
„Was? Du Knallfrosch° machst auf einmal meinen Job? Ich hack' dich in Stücke! Und jetzt raus hier aus deinem Bau°, ich muss telefonieren. Und wenn du auf die Idee kommst zu lauschen°, dreh ich dir den Hals rum – etwas weniger nett als dem ..."
Er brauchte nicht zu Ende zu sprechen und Krummsiek war draußen und drückte sich in den hintersten Winkel des Gangs.

Dort wartete er.
Es dauerte etwas länger, bis der ‘Handwerker’ erschien. Beim Vorbeigehen packte er Krummsiek noch an der Schulter:
„Nie mehr machst du das, klar?“
„Aber jetzt sind wir sicher, oder?“
„Du Rindvieh°, jetzt geht’s erst richtig los. Oder glaubst du, diese Schnüffelbande° gibt sich damit zufrieden? Die haben doch längst eine Kopie und lachen sich schief° über dein Schmierentheater°! Ein letztes Mal: Du bleibst auf deinem Hintern° sitzen und wartest bis morgen oder übermorgen. Ob du als nächster dran° bist, wissen wir noch nicht. Das hängt von der nächsten Aktion ab.“
Er grinste° ihn an wie ein Krokodil mit Metallzähnen und schlug ihm zum Abschied noch mal auf die Schultern, dass er fast zusammenbrach. Dann fiel unten die Tür ins Schloss und ein Motorrad fuhr weg.

*

Zu Hause angekommen, machte sich der ‘Handwerker’ sogleich an die Vorbereitungen. Aus einer Kassette wählte er vorsichtig zwei Ampullen° aus, dann zwei Spritzen und verschiedene andere Kleinteile. Sorgfältig° packte er alles in eine Fototasche.
Schließlich prüfte und lud° er noch seine Pistole und legte sie, mit einer Schachtel Patronen, ebenfalls in die Tasche.
Nach Studium des Stadtplans machte er sich noch einige Notizen.
Dann trank er wie immer seine Flasche Kakao, duschte sich und legte sich schlafen, denn es war spät und morgen wartete Arbeit auf ihn.
Unausgeschlafen° durfte er nicht sein. Die Organisation zahlte sehr gut, aber Fehler durften nicht passieren. Fehler waren tödlich.

*

Am Abend vorher hatten Jürgen und Maggie beschlossen, den Überfall° der Polizei zu melden.

So saß Jürgen Griefahn um halb neun Kommissar Klein gegenüber und berichtete. Dabei kam° natürlich die ganze Sache mit der Diskette heraus und Klein war außer sich°: „Wie konnten Sie nur? In welchem schlechten Roman haben Sie das gelesen? Sind Sie Philipp Marlowe oder James Bond oder was? Wissen Sie, dass das strafbar ist?"
So machte er weiter, aber Jürgen nahm das nicht lange hin°:
„Was soll das? Schließlich haben wir einen Ring von Waffenschmugglern° und einen Mord entdeckt!"
„Einen mutmaßlichen* Mord. Benutzen Sie höchstens das Wort 'mutmaßlich'! Sie können den Einbrecher° anzeigen, aber Polizeischutz kann ich Ihnen in dieser Situation nicht anbieten. Wollen Sie ja sowieso nicht, oder?"
„Richtig. Nur, wenn wir es womöglich mit einer ganzen Bande° zu tun kriegen, dann brauchen wir Sie."
„Einfach so, dann pfeifen° Sie, und wir kommen. Na, das müssen wir uns aber schwer überlegen. Trotzdem: Erzählen Sie alles noch einmal genau, es könnte nützlich sein."
So verbrachte Jürgen ganze zwei Stunden bei Klein, verriet aber bei alldem nicht, dass sie noch eine Kopie der Diskette hatten.

*

Gegen Mittag war er wieder bei Maggie im Büro. Sie machte sich Sorgen:
„Jürgen, da unten habe ich einen Typen auf dem Motorrad gesehen. Zweimal stand er hier unten. Und als du angekommen bist und das Auto geparkt hast, fuhr er noch mal langsam vorbei."
„Vielleicht sucht er einen Job und wir brauchen bald einen dritten Detektiv?"
„Mensch, mach keine Witze°."
„Also Maggie, das mit Frau Hofmeier, das möchte ich gern klären. Gib mir den Schlüssel zu ihrer Wohnung in Lövenich. Ich fahr' mal raus und schau' mich um. Oder willst du?"
„Nein, nein. Ich versuche inzwischen, mit ihrer Mutter noch mal Kontakt aufzunehmen, und arbeite mit der Diskette.

Vielleicht finde ich noch mehr."
„Gut, Maggie, wir sehen uns dann noch heute Abend oder morgen früh um neun. Ich ruf' mal an. Pass auf dich auf!"
Als er ging, war er auf eine seltsame Weise beunruhigt.

*

Jürgen trat auf die Straße und sah sich um – nichts zu sehen. Er setzte sich ins Auto und fuhr los. Dabei dachte er über Eva Hofmeier nach, die möglicherweise in den Waffenschmuggel° verwickelt° war. Vor genau einer Woche war sie gestorben.
Als er in Gedanken in den Rückspiegel schaute, sah er den schwarzen Motorradfahrer, nicht direkt hinter sich, aber in unauffälligem° Abstand°. Er testete die Situation: Er gab Gas, der Motorradfahrer fuhr ebenfalls schneller; er fuhr langsamer, der andere ebenfalls. Kein Zweifel, er wurde verfolgt°. Im Verlauf der Fahrt versuchte er mehrmals, den Verfolger° abzuschütteln°, doch es gelang ihm nicht.
Als er schließlich am Wohnblock von Eva Hofmeiers Apartment angekommen war, sah er ihn auf einmal nicht mehr. Vorsichtig stieg er aus und legte sich hinter einer Hausecke auf die Lauer°, die Pistole im Anschlag°.
Aber vergeblich. Nachdem er einige Zeit umsonst gewartet hatte, ging er hoch, in den vierten Stock, nicht mit dem Lift, sondern zu Fuß. Vorsichtig schloss er die Wohnung von Eva Hofmeier auf und sah sich um. Auch da war niemand.
Langsam, in Handschuhen, um keine Spuren° zu hinterlassen, machte er sich auf die Suche. Er wusste eigentlich nicht, was er finden wollte.
Es war eine Wohnung, vollgestellt mit kleinen Antiquitäten, Reiseerinnerungen, Stilmöbeln, aber offenbar ziellos gesammelt. Alles lag so herum, als ob die Besitzerin jeden Moment zurückkommen würde. Es war eine seltsame Atmosphäre. Mittendrin hielt er inne° und lauschte°. Aber er hörte nichts.

Kapitel 6

Aus dem Detektivbüro war Musik zu hören, Reggae. Wenn es dämmerte°, überkam Maggie immer diese Stimmung, die für sie etwas Bittersüßes hatte – Musik aus einer Welt, wo Liebe und Tod einander so nahe sind.

Die Mutter von Eva hatte sie nicht erreicht. Also setzte sie das Studium der Diskette fort. Es folgten lange Listen von Namen, Produktbezeichnungen, Terminen – eine eindrucksvolle° Organisation, dachte sie bei sich. Und da begann wieder der Text mit den unverständlichen Zeichen:

PPiuDx/4rg/96gP2/ecD7L3jw+094IPbvd3D1H3bQ8592I
PI9iQPo/Yad4f2Dw9p9gIPRPb1Dhv26Q6e9WINtPVyDe
D1hA0L9pQNM103a9t8N+vbpDRj390039/8NVvcIDnf3E
A6Y9xkOvfchDr73...

Das Telefon ging. Rudolf aus Winnipeg rief an, wollte Jürgen sprechen. Gerade war das Gespräch zu Ende, ging wieder das Telefon: Gillian, Freundin von Jürgen. Die glaubte nicht, dass Jürgen nicht da war – frech° und aufdringlich, und dann aufgelegt. Sie hasste diese Gillian. Jetzt aber umschalten, auf Anrufbeantworter°.

Ruhe, endlich!

Sie nahm einen Schluck Kaffee und ging an die Stelle mit dem unverständlichen Text.

Draußen quietschten Autoreifen. Ein Hund bellte. Kurzes Gelächter° drüben aus dem 'Bären'. Männergesellschaft.

Es war schwer, sich zu konzentrieren. Sie fühlte ständig diese innere Unruhe ...

Trotzdem zwang sie sich auf den Bildschirm zu schauen und überlegte – da erinnerte sie sich plötzlich an den Zettel, den Eva Hofmeier in der Hand hatte. Wo war der eigentlich?

Sie kramte° in ihrer Handtasche, wo sie so viele Sachen hatte – da, zwischen Scheckkarte und Spiegel fand sie den Zettel! Vorsichtig machte sie das zerknüllte° Papier auf und las

eps.palinuro

*

Als es acht Uhr vorbei war und langsam dunkel wurde, hatte Jürgen immer noch nichts gefunden, was ihn weiter bringen könnte.
Langsam stiegen in ihm Gedanken hoch, die ihn nicht wieder verließen. Warum wurde er verfolgt° und dann nicht mehr? Und er erinnerte sich: Heute vor einer Woche, genau gegen neun, starb Eva Hofmeier. Er sah das Bild vor sich, wie sie vor dem Computer saß. Saß?
Ein eisiger Schreck° durchfuhr ihn: Maggie! Was machte Maggie gerade? Sie war sicher noch im Büro. Und wenn dieser Mensch wieder zurückkam?
Maggie in Gefahr?! Und er hier, weit von ihr, fast eine Stunde.
Anrufen! Er riss sein Handy heraus und wählte: besetzt. Also verwählt und noch mal: besetzt! Sicher telefonierte sie mit Frau Hofmeier. Er versuchte sich zu beruhigen. Vielleicht war das nur Einbildung°. Maggie, leg auf!
Als er wieder anrief, lief der Anrufbeantworter°.
Er sprang aus der Wohnung, die vier Stockwerke hinunter, ins Auto und los.
Mittlerweile war es Viertel vor neun.
Während Jürgen durch die Nacht raste°, wurde immer mehr bewusst°, dass es so nicht ging: Jemand musste vor ihm da sein und sie warnen. Genau das war es.
Aber wer? Die Nachbarn kannte er nicht, es war eben ein Geschäftshaus, Freunde in der Nähe auch nicht. Die Polizei? Ausgeschlossen! Er hatte ja nicht einmal einen greifbaren° Verdacht°. Die Feuerwehr? Es gab doch kein Feuer!
Er bremste scharf am Straßenrand, hielt an, nahm den Kopf in beide Hände und dachte angestrengt nach.

*

Maggie starrte° auf das Papier: Das, was sie sah, war bestimmt ein Passwort, ein Code!
Sie wollte gerade das Wort eintippen, da war° ihr, als hörte sie die Tür gehen. Sie lauschte°, aber sie hatte sich offenbar

verhört°. Jürgen konnte noch nicht zurück sein. Es gab so viele Geräusche° in diesem Betonblock.
Sie suchte die verschlüsselten° Zeilen, tippte°

eps.palinuro

ein und wartete.
Auf einmal, wie von Geisterhand°, lösten sich die Zeichen auf – und neue erschienen. Mit großen Augen sah sie eine Liste vor sich, eine ... Auftragsliste:

ECON/giannoudi.Genua/PB.in.A.34-563-3857.call.for.
transport.fuze.ct8
BRATISLAVA/shipping.HMFMorango/check.krummsiek
&Crushanks.ELMO
MORF9/effect.paymentCT3.AZ384/Banque.Lyonnais

Und so ging es weiter. Eine heiße Sache – die Arbeit einer ganzen Organisation lag vor ihr. Aber dann kam etwas Seltsames:

EMERGENCYaction.pali.sik.koeln/EIT.hofmeier/gerufen
zumlicht/ergebendemtod/einsüsserstich/zuneuemleben.

Was soll das? Ein Gedicht°, im Internet – und was für ein Kitsch°, ja, 'Kitsch' sagen die Deutschen.
Plötzlich fiel es ihr wie Schuppen° von den Augen: 'süßer Stich°, Tod' ... Ihr wurde auf einmal kalt; eine Gänsehaut° lief ihr über den Rücken.
Das war wieder eine verschlüsselte° Nachricht, ein Auftrag, ein Mordbefehl°. Und da war der Stich° – also die Waffe, das war ... instinktiv fasste sie sich an den Nacken°.
Der Lärm auf der Straße war auf einmal ganz fern.
Wieder glaubte sie, ein Geräusch° hinter sich zu hören.
„Warum drehe ich mich nicht um?"
Wie versteinert° blieb sie sitzen und starrte° auf den Bildschirm.

Ihr Besucher beobachtete sie von hinten aus einer Schrankecke°. Die Spritze hatte er schon aufgezogen°. Er ließ jedoch sein Opfer°– wie Eva Hofmeier – erst die Wahrheit finden.

Mit einem lauten Krach° zerbrach die Stille!
Maggie fuhr° herum, ein Schatten sprang hinter den Vorhang. Und herein donnerten° zwei dicke Männer in grünen Schürzen°:
„Frau Schandler, kommen Sie, kommen Sie sofort! Los, lassen Sie den Computer – ein Unfall, kommen Sie ans Telefon!“
Ohne dass sie recht wusste, wie ihr geschah, zerrten° die zwei, die intensiv nach Bier rochen, Maggie hinaus. Sie protestierte leicht, wie ein Kind, das sich nicht wehren kann. Und schon standen sie auf der Straße.
Dann ging alles sehr schnell. Sie stolperte° vor einem heran-

nahenden Auto, ein Schuss° und noch ein Schuss peitschte durch die Straße.
Dann wurde Maggie von den beiden ins Gedränge° einer Bierkneipe* geschoben und hindurch bis ins Hinterzimmer, wo ein rotwangiger Mann gütig zu ihr sagte,
„nun setzen Sie sich erst mal hin und trinken Sie was", und ihr ein frisches Kölsch hinstellte.

*

Der 'Handwerker' - das war Maggies Besucher - war vom Auftritt der beiden Köbes* und der 'Entführung' von Maggie völlig überrascht worden. Blitzschnell hatte er noch vom Fenster aus zwei Schüsse auf sie abgegeben. Er war ein guter Schütze, aber da sie vor dem Auto gestolpert° war, hatte er nicht getroffen.
Jetzt musste er weg - so schnell wie möglich. Er musste den Hinterausgang nehmen, denn vor dem Haus waren schon Menschen zusammen gelaufen. Gerade als er zur Hintertür hinausstürzte, stieß° er mit einer dicken Frau zusammen. Sie schrie auf wie eine Sirene und beide fielen zu Boden.
Von der Vordertür her näherten sich eilige Schritte, da sprang er über die Frau hinweg, wobei seine Tasche am Treppengeländer° hängen blieb. Er ließ sie zurück, raste° hinaus, um zwei Straßenecken, sprang aufs Motorrad und fuhr davon.

*

Gleichzeitig mit der Polizei traf Jürgen ein. Maggie war inzwischen wieder gefasst° und sah ihm mit kalkweißem Gesicht entgegen. Dann umarmten sie sich wie zwei, die einander aus großer Not gerettet haben.
„Wie gut, dass du in Kneipen* gehst", flüsterte° sie.
„Ja, du, weil ich zu Verabredungen immer zu spät komme, habe ich immer – für alle Fälle – die Telefonnummer vom 'Bären' dabei. Und die kennen mich doch alle, besonders der Jörg und der Harry!"
„Das war Spitze° von euch," und Jürgen drückte° ihnen die breiten Hände.

„War doch Ehrensache°, mal was los, ne?“
Kommissar Klein tauchte° auf, wie aus dem Nichts.
„Jetzt schlagen° wir zu“, erklärte er, als ob er Herr der Situation wäre. „Ab sofort stehen Sie beide unter Polizeischutz.“
„Das hat uns gerade noch gefehlt“, warf Jürgen in die Runde der Köbes* - mit donnerndem° Lacherfolg.
„Und was geschieht jetzt?“, wollte Maggie wissen.
„Jetzt wird erst mal alles abgesperrt°: Spurensicherung°. Das machen wir immer, auch wenn der Täter schon weg ist.
Ein verdächtiger° Mann, offenbar auf der Flucht°, rannte eine Frau am Hintereingang nieder. Dabei verlor er eine Tasche - mit Spritzen und Ampullen°. Ein Arzt war das sicher nicht.“
„Das war er“, sagte Maggie langsam und wurde wieder blasser, „und der hat auch Eva Hofmeier auf dem Gewissen°.“

*

Paul Sikorski konnte nicht schnell genug nach Hause kommen. Irgendwann, zwischen elf und halb zwölf fuhr der Nachtzug nach Wien. Den musste er erreichen, bevor ihn die Organisation erwischte°. Seine Selbstbeherrschung° war dahin.
„Verflucht! Der Aufzug geht nicht. Was?“ Das Schild an der Aufzugtür WEGEN RENOVIERUNG AUSSER BETRIEB machte ihn noch hektischer°. Er raste° die Treppen bis zum siebten Stock hinauf. Kaum hatte er die Tür aufgeschlossen, klingelte schon das Telefon. Er ging nicht ran, sondern packte eilig seine Sachen zusammen, auch das Päckchen mit dem Vorschuss°. Er hatte keine Minute zu verlieren!
Als er wieder auf dem Gang war, sah er hinten die Lampe der Aufzugtür brennen. Glück gehabt! Der Lift geht wieder!
Er riss die Tür auf, sprang in den Lift – und stürzte in die Finsternis°.

Kapitel 7

Direktor Krummsiek und seine Frau, Agnes Krummsiek von Retrow, saßen gerade beim Sonntagsbraten, als sie durch einen Hausbesuch der Polizei gestört wurden.
Krummsiek protestierte zwar heftig, musste aber sofort mit der Polizei in die Firma fahren.
Kaum waren sie dort eingetroffen°, als überraschend auch Frau Krummsiek in Begleitung von Hacks ankam.
Nach einer schnellen Razzia wurden die Kisten° mit den Zündern° gefunden, die Krummsiek versteckt hatte. Und was die Sache noch schlimmer machte: Es fehlten alle Dokumente.
Krummsiek verweigerte° sofort jede Aussage°. Er leugnete° natürlich auch strikt, mit dem Tod von Frau Hofmeier etwas zu tun zu haben und verlangte nach seinem Anwalt.
Es ging alles so schnell, dass er sich nur kurz von seiner Frau verabschieden konnte:
„Wie geht es denn jetzt weiter ohne mich, meine Liebe?"
„Mach dir keine Sorgen, Alfi. Die Firma ist sowieso ein Familienbetrieb, meiner Familie, wie du weisst. Und Herr Hacks steht mir vertrauensvoll zur Seite."
Zum ersten Mal sah Krummsiek seinen Buchhalter° lächeln, dann wurde er weggebracht.
Als die Polizei abgefahren war, sah sich Hacks um:
„Soll ich aufräumen?"
„Nein, Peterchen, lass seine Sachen, wo sie sind, auch sein Einbrecherkostüm mit Maske, Pistole usw. Wir dürfen doch die Arbeit der Kripo nicht behindern."
„Jetzt kriegt er wohl mindestens fünf Jahre wegen dieser Waffenschieberei° und wegen Betrugs°."
„Ja schon, mein Lieber, aber bei guter Führung° ist er nach zwei Jahren wieder frei. Soll er nur kommen ..."

*

Am Montagmorgen um 10 Uhr war Hochbetrieb im Polizei-

präsidium, das gab es nicht immer. Schuld daran war auch die Presse, die gehörig Druck machte.
Erste Schlagzeilen waren auch schon im 'EXPRESS'* erschienen:

J & M - die Helden°!
Schläft die Polizei?

Kommissar Klein verhörte° J & M, da er, wie die Presse später höhnisch schrieb, „außer einem kleinen Waffenschieber° keinen Täter zu bieten hatte."
„Waffenschmuggel°, Waffenschieberei° ist eine sehr ernste Sache", erklärte Klein, „womit unser Spionage-Dienst voll beschäftigt ist."
„Trotzdem sind wir für jeden Hinweis - auch aus der Bevölkerung - dankbar."
„Aber Herr Klein, es geht hier um Mord!"
„Sicher, der Staatsanwalt° wird eine Exhumierung° von Frau Hofmeier verlangen, um die wahre Todesursache° festzustellen. Das Material in der Fototasche bietet genug Beweise. Es war wohl ein Lähmungsgift°."
„Und der Täter?"
„Herr Krummsiek wird zur Zeit verhört°. Er hat jedoch für die Tatzeit ein Alibi."
„Und der Mann, der mir aufgelauert° hat, der ist doch der Täter."
„Der 'mutmaßliche'* Täter", korrigierte Klein. „Aber den

kennen wir nicht und haben ihn daher auch noch nicht gefasst°."
Jürgen und Maggie hatten genug:
„Können wir jetzt gehen?"
„Jederzeit." Klein schien erleichtert. „Nur eine Bitte: Erzählen Sie der Presse keine Märchen°!"
Als sie gerade gehen wollten, rief ihnen noch der Kommissar nach:
„Die Diskette, das heißt die Kopie, können Sie mir am Montag oder Dienstag vorbeibringen. Obwohl ich glaube, dass die Bande° inzwischen alles geändert hat. Kommen Sie gut nach Hause!"
Jürgen und Maggie gingen. Sie hatten sich viel zu erzählen und sie waren sehr müde.

*

Mittwochabend fand wieder eine Besprechung im ELMO-Print-Studio statt. Teilnehmer waren Ted, Natascha, Retzi und ein Neuer mit blonder Schmalzlocke.
„Liebe Kollegen", Ted begann mit dem Report.
„Wir haben uns personell verändert. Freddy wurde geschnappt° und zählt nicht mehr. Paul wurde in einem Aufzugschacht° gefunden. Jeder kommt mal an seine Grenzen."
Natascha schaute in diesem Moment wie ein Schaf, dem man das Futter° weggenommen hatte.
„Dafür haben wir jetzt Mario. 'Spitze°', sagen die Bosse."
Mario lächelte mit schmalem, messerscharfem Mund und Natascha fand ihn sofort 'cool'.
„Und was ist mit der Firma EIT?", fragte Retzi.
„Alles wie gehabt. Hacks hat aufgepasst, auf den können wir uns wie immer verlassen."
„Und Brunnthaler?"
„Dr. Brunnthaler, bitte", sagte Fred sarkastisch. „Der ist in panischem Schrecken° nach Honduras abgehauen°. Wir müssen da leider an einer anderen personellen Variante arbeiten."

„Übrigens, unsere Liste im Internet, über die alles ins Rollen° kam, existiert nicht mehr. Es gibt jetzt eine neue, mit neuem Code, aber den kenne ab sofort nur ich. Noch Fragen?"
„Gut, dann an die Arbeit. Wo sind die Bestellungen?
Natascha, was kicherst° du denn dauernd? Ach so, du hast Geburtstag. Passt ja gut."

*

Jürgen und Maggie trafen sich zum Frühstück im Café 'Eck'. Zum Besprechen gab es genug.
„Was meinst du, Jürgen, waren wir als Detektive gut?"
„Na klar, warum?"
„Naja, die wichtigsten Leute wurden nicht gefasst° und dieser Krummsiek wird bestimmt niemand verraten°. Die eigentliche Organisation kennt er wahrscheinlich auch gar nicht."
„Maggie, das ist doch heutzutage immer so. Die wirklichen Köpfe kriegst du nie. Vor allem, weil international alles vernetzt° ist. Da ist die gesamte Polizei machtlos."
„Ich verstehe, aber frustrierend ist es doch. Besonders, wenn man selbst so in Gefahr war."
„Das ist – wie heißt das? – Berufsrisiko°."
„Übrigens, hast du's gelesen? Sie haben Paul Sikorski gefunden, unseren Täter, zerschmettert im Schacht° eines Lifts. Der hat sich selbst hingerichtet°."
„Maggie, wir haben es geschafft - aber das macht Eva Hofmeier auch nicht wieder lebendig."
Die beiden Detektive gingen nachdenklich° in ihr Büro und sahen sich um: Auf dem Boden ihres Büros lagen die Zeitungen mit den Berichten über ihre Arbeit.
Vor ihnen stand eine Sachertorte°, selbst gemacht und geschenkt von Frau Hofmeier.
In einem grauen Umschlag ein Anerkennungsschreiben° von Kommissar Klein.
Und auf dem Schreibtisch eine kleine, wichtige, tödliche Diskette, die jetzt nichts mehr wert war.

E n d e

GLOSSAR

Hier werden die Wörter und Ausdrücke erklärt, die im Text das Zeichen° haben. Es sind Wörter und Ausdrücke, die für das Verständnis wichtig sind und nicht im Wortschatz zum Zertifikat Deutsch als Fremdsprache vorkommen oder nicht in dieser Bedeutung vorkommen. Wichtig: Die Wörter werden vor allem nach ihrer speziellen Bedeutung im Text erklärt, nicht nach ihrer allgemeinen Bedeutung, wie man sie im Wörterbuch findet.
Spezielle Wörter und Ausdrücke, die nicht zur deutschen Standardsprache gehören, sind besonders markiert: mit **U** für Umgangssprache oder I für Jargon, Sondersprache, Gaunersprache. Die Zeichen ← oder → sind Hinweise auf die Wortfamilie oder den Infinitiv eines Wortes, damit man besser verstehen kann. Die Zeichen *r, n, e* sind Hinweise auf den Artikel und die Zeichen -, *-e*, *“-e* usw. geben den Plural des Substantivs an.

abgehauen (← abhauen): sie sind a. I = sie sind weggelaufen
abgesperrt (← absperren, Sperre): ein Gebäude/eine Straße wird durch die Polizei a., damit die Leute wegbleiben und nicht stören
Abiturient *r* /**Abiturientin** *e* = Schüler/Schülerin, der/die die Abschlussprüfung des Gymnasiums macht
Abstand *r/“-e* = Distanz, Entfernung
abzuschütteln (← abschütteln): er versuchte, den Verfolger a. = er wollte, dass der Verfolger ihn verliert
ahnen = etwas fühlen, etwas voraussehen
Ampulle *e/-en* = kleine Glasflasche mit Medizin, vor allem für Injektionen
Anerkennungsschreiben *s/-* (← Anerkennung+Schreiben) = ein Brief, mit dem jemand für seine Arbeit gelobt wird
Anfall *r/“-e* = plötzliche, unkontrollierte Gefühle, Reaktion oder Krankheit
annehmen : *hier* sich der Sache a. = sich um die Sache kümmern,

die Sache untersuchen
Anrufbeantworter *r* (← Anruf+beantworten) = Teil des Telefons; man kann eine Nachricht auf den A. sprechen
Anschlag *r*: die Pistole im A. = die Pistole bereit zu schießen
Antipathie *e* = das Gefühl, dass man jemand nicht mag, *Gegenteil von* Sympathie
aufgelauert (← auflauern; Lauer) = heimlich auf jemand gewartet, mit böser Absicht
aufgewühlt (← aufwühlen) = innerlich sehr aufgeregt
aufgezogen (← aufziehen) = *hier* die Spritze vorbereitet
aufschließen = mit dem Schlüssel öffnen
aufzuklären (← aufklären): wir haben etwas a. = wir müssen die Wahrheit ans Licht bringen
ausgenützt (← ausnützen): er hat sie a. = er hat ohne Rücksicht ihre ganze Arbeitskraft benutzt
Aussage *e/-n* = was man der Polizei oder vor Gericht offiziell sagt
außer sich: er war a. sich = er regte sich furchtbar auf

Bande *e/-n* = Gruppe von Verbrechern
Bär *r/-en*: dort war der B. los **U** = da war viel los
barsch = unfreundlich und autoritär, im Kommandoton
Bau *r/-ten* = 1) Wohnung eines Tieres unter der Erde (z.B. eines Fuchses); 2) **U** *hier negativ für* Büro, Wohnung
beauftragt (← beauftragen) = einen Auftrag, e. Aufgabe bekommen
Berufsrisiko *s* = das Risiko des Berufs (*hier* eines Detektivs)
Betrug *r* = durch Lüge oder Falschheit einer Person schaden
bewusst: ihm wurde b. = ihm wurde klar
blank = 1) rein, sauber; 2) *hier* offen
blitzartig = so schnell wie der Blitz
brach ... hervor (← hervor+brechen) = 1) erschien plötzlich, 2) *hier* ein plötzliches starkes Gefühl brachte sie zum Reden
Buchhalter *r/-* = Angestellter für die Geschäftsbücher und Abrechnungen einer Firma

dahinter: da ist was d. **U** = da gibt es ein Geheimnis
dämmerte (← dämmern) = es wurde langsam Abend/ l. dunkel
Dieb *r/-e* = jemand, der etwas stiehlt
Dobermann *r* = Rasse von Hunden, gefährlich und bissig

donnerten (← donnern) = mit großem Lärm etwas tun, *hier* 1) herein kommen, 2) laut lachen
dran (← daran): du bist dran I = du wirst bestraft
drückte (← drücken): d. ihnen die Hände = gab ihnen kräftig die Hand
dumpf = dunkler und undeutlicher Ton

Ehrensache *e* (← Ehre+Sache): das war E. = das war selbstverständlich, das sollten wir tun
Einbildung *e* = Fantasie
Einbrecher *r/-* = ein Verbrecher, der in ein Haus oder eine Bank eindringt, um etwas zu rauben
eindrucksvoll (← Eindruck) = macht großen Eindruck, ist groß und wichtig
eingelegt (← einlegen): die Diskette wurde e. = die Diskette wurde in den Computer gesteckt
eingetroffen (← eintreffen) = angekommen
Entführung *e* (← entführen) = eine Person mit Gewalt, gegen ihren Willen wegbringen
entrückt = fühlt sich wie in einer anderen Welt, wie im Traum
Erdbeben *s* = Katastrophe: die Erde bewegt sich
erfasste (← erfassen): sie e. die Situation = sie verstand die Situation sofort
Ermittlung *e/-en* (← ermitteln) = Suche, Nachforschung, Feststellung durch die Polizei
erwischte (← erwischen) **U** = konnte jemand/etwas fangen
Ewigkeit *e* (← ewig) = *hier* eine sehr lange Zeit, fast endlose Zeit
Exhumierung *e* = eine Leiche wird ausgegraben, um sie auf Spuren eines Verbrechens zu untersuchen

Fassung *e* = die äußere oder innere Ruhe
fiel ... auf (← auffallen) = man sah/ bemerkte etwas deutlich
fiel ... ein (← einfallen) = erinnerte sich plötzlich
Finsternis *e* (← finster) = Dunkelheit (← dunkel)
Flucht *e* (← fliehen): auf der F. = läuft weg
flüsterte (← flüstern) = sprach leise
Frachtpapiere *Pl* = die Papiere, Dokumente zum Transport
frech = vorlaut, respektlos, impertinent

fröstelte (← frösteln, Frost) = leicht frieren, *hier* vor Angst und Ekel
fuhr herum = drehte sich schnell um
Führung *e*: bei guter F. = wenn man im Gefängnis einen guten Eindruck gemacht hat
fündig (← finden, Fund): er wurde f. = er suchte und entdeckte etwas (*im Bergbau:* man findet Gold oder Mineralien)
Futter *s* = Essen für Tiere

Gänsehaut *e* (← Gans+Haut) = Hautveränderung bei Angst oder anderen Gefühlen
Gedicht *s/-e* = literarische Form, in Versen komponiert
Gedränge *s* = wenig Platz, wenn viele Menschen zusammen sind
gefasst (← fassen) = 1) äußerlich oder innerlich ruhig; 2) von der Polizei verhaftet
Geisterhand: wie von Geisterhand = übernatürlich, magisch
Gelächter *s* (← lachen) = lautes und längeres Lachen von mehreren Personen
gelangweilt (← langweilig): bin g. = etwas oder eine Situation ist für mich langweilig
gelöscht (← löschen) = Licht, Feuer, Daten ausgemacht
Geräusch *s/-e* = kleiner Laut
Gerichtsmediziner *r/-* = Arzt, der für das Gericht und die Polizei einen Toten untersucht
geschnappt (← schnappen) = gefangen, verhaftet
gespeichert (← speichern) = Daten auf Diskette oder auf die Festplatte gebracht
Gespenst *s/-er* = 1) Geist von einem Toten; 2) du siehst Gespenster = deine Gedanken, deine Vorstellungen sind zu negativ, zu finster
gestürzt (← stürzen) sich in die Arbeit g. = den ganzen Tag nur gearbeitet, außer Arbeiten nichts getan
getroffen (← treffen): er hat nicht g. = der Schuss ging nicht ins Ziel
Gewissen s = das moralische Gefühl: 1) schlechtes G. = das Gefühl, etwas Schlechtes getan zu haben; 2) er hat Eva auf dem G. = er ist der Täter, er hat sie getötet
Gras gewachsen: bis über die Sache G. g. ist **U** = bis genug Zeit vergangen ist und man die Sache vergessen hat

greifbar (← greifen) = konkret
griff (← greifen) = fasste an
grinste (← grinsen) = breites Lächeln, freundlich oder böse

hacke (← hacken) = 1) Holz mit der Axt in kleine Stücke schlagen; 2) *hier* auf brutale Art töten I
harmlos = kann niemand schaden
hektisch = nervös und planlos
Held *r/-en*, **Heldin** *e/-nen* = Person, die große Taten leistet
hereingerast (← hereinrasen) = schnell und hektisch hereingelaufen
Herzanfall *r* = Herz-Attacke; das Herz funktioniert plötzlich nicht mehr richtig
Herzschlag *r* = das Herz schlägt nicht mehr, man stirbt sofort
hin: nahm alles h. = reagierte nicht, akzeptierte alles
hingerichtet (← hinrichten) = zur Strafe getötet
Hintern *r* I = Po: bleib auf deinem H. = bleib da, geh nicht weg
hundemüde = sehr müde

inne: er hielt i. = er stoppte/hielt an und bewegte sich nicht
isse U = *phonetische Variante für* ist sie

Jagdinstinkt *r* = der Instinkt, jemand oder etwas zu jagen; *engl.* to hunt

kam ... heraus (← heraus kommen): die Sache k. heraus = *hier* die Sache wurde bekannt
Kehle *e* = vorderer Teil des Halses
Kette *e/-n* : *hier* die K. vorschob = mit der K. die Tür sicherte
kichern = leise und leicht lachen
Kiste *e/-n* = Kasten, viereckig, meist aus Holz, zum Transport von Material
Kitsch *r* = Bilder, Texte, Musik mit schlechtem Geschmack
Knallfrosch *r/"-e* (← knallen+Frosch) = 1) Artikel für ein Feuerwerk, für eine kleine Explosion; 2) *hier negativ* für jemand, der etwas mit viel Lärm, aber wenig Effekt tut
knallt's (← knallen): sonst k. I = *hier* sonst schieße ich
knurrte (← knurren) = Laute eines Hundes, der böse ist

konnte ... dafür = war schuld daran, war verantwortlich dafür
Krach *r*: mit einem K. zerbrach die Stille = die Stille war durch einen plötzlichen starken Lärm zu Ende
Kram *r* = *negativ für* Sachen, Zeug
kramte (← kramen) **U** = suchte herum
Kundenkartei *e/-en* = die Kartei (die Liste) mit den Namen von Kunden

Lähmungsgift *s* (← Lähmung+Gift) = Gift, durch das man sich nicht mehr bewegen kann, Nervengift
Landesversicherungsanstalt *e* = die offizielle Institution (= Anstalt) eines Bundeslandes für Versicherungen (Sozialversicherung, Lebensversicherung etc.)
Lauer *e* (← lauern): er legte sich auf die L. = er versteckte sich und wartete auf jemand
lauschen = 1) genau hören; 2) heimlich zuhören, ohne dass es jemand merkt
Leiche *e/-n* = der tote Körper
leugnete (← leugnen) = erklärte für falsch, unwahr
lud (← laden) = *hier* steckte Patronen in die Pistole
löschen = 1) Licht oder Feuer ausmachen; 2) eine Datei zerstören, entfernen

Märchen *s/-* = 1) fantasievolle Erzählung; 2) *hier* unwahre Geschichte
mitgehen: lassen was m. I = nehmen oder stehlen etwas
Mordbefehl *r* (← Mord+Befehl) = Auftrag zu töten
Mordkommission *e* = Abteilung der Kriminalpolizei, die Morde untersucht und verfolgt
Muffe *e/-n* = 1) Verbindungsstück von zwei Röhren; 2) dem geht die M. I = der hat große Angst, der ist in Panik
mustern = genau ansehen, überprüfen

nachdenklich (← nachdenken) = in Gedanken versunken
Nachschub *r* = Lieferung von militärischem Material; *hier* Drogen
Nacken *r* = der hintere Teil des Halses
nickte (← nicken) = *Ausdruck von* 'ja' *durch eine Kopfbewegung*
Notizbuch *s/"-er* = kleines Buch oder Heft für Notizen

öde = leer, langweilig
Opfer *s/-* = jemand, dem durch ein Verbrechen oder eine Katastrophe sehr geschadet wurde; *engl.* victim

Pärchen *s/-* (← Paar) = junges Paar; *hier negativ* harmloses Paar
peinlich = unangenehm, man schämt sich ein bisschen
pfeifen = *engl.* to whistle: 1) eine Melodie p.; 2) jemanden rufen wie einen Hund
pflegte (← pflegen): wie er sich auszudrücken p. = wie er immer sagte
Pint-o-bitter = *englischer Ausdruck für* 0,75 Liter ('pint') einer britischen Biersorte ('bitter')

raffte ... zusammen = packte eilig und hektisch ... zusammen
raste (← rasen) = fuhr oder lief sehr schnell, mit maximaler Geschwindigkeit
Ratte *e/-n* = Nagetier; *engl.* rat
Recherche *e/-n* = genaue Untersuchung, Nachforschung
richtete (← richten → Richtung): r. seine Augen auf ihn = sah ihn intensiv an
Rindvieh *s* = 1) Kuh oder Ochse; 2) I *hier starkes Schimpfwort für* Dummkopf
Rollen: die Sache kam ins R. = die Sache begann
Ruck *r*: mit einem Ruck = mit einer plötzlichen Bewegung nach vorn oder nach hinten

Sache *e*: 1) ... dass sie sich der S. annehmen = dass sie sich um die S. kümmern, etwas für die S. tun 2) kommen ... zur S. = sprechen über den wichtigsten Punkt, die wichtigste S. 3) zur S. gehen = mit etwas, einer S. anfangen
Sachertorte *e* = Schokoladentorte nach Wiener Art
Schacht *r/"-e* = hoher, senkrechter Raum, in dem der Aufzug nach oben und unten fährt
schief gelaufen = hat nicht geklappt
schief: lacht sich s. = lacht lange über jemand, schadenfroh, weil der einen Fehler gemacht hat
schlagen ... zu (← zuschlagen): jetzt s. wir zu = jetzt handeln wir (und verhaften den Täter)

Schlaumeier *r/-* (← schlau) = **U** *ironisch und negativ gemeint* jemand, der glaubt, dass er alles weiß

Schmierentheater *s* (← Schmiere+Theater) **U** = jemand spielt ein sehr schlechtes 'Theaterstück'

Schnittbewegung *e* (← schneiden) = *Geste, mit der er einen Schnitt mit dem Messer zeigt*

Schnüffler *r/-* (← schnüffeln) = **U** jemand, der Informationen sucht, der spioniert; *negativ für* Detektive, Polizei

schoss ... herein (← schießen) = *hier* kam schnell hereingelaufen

schrak ... auf (← aufschrecken) = erschrak, wurde plötzlich aus ihrer/seiner Ruhe gerissen

Schreck *r*: ein Schreck durchzuckte ihn = er erschrak so stark, dass sein ganzer Körper zitterte

Schrott *r* = unbrauchbarer Müll aus Metall (z.B. Schrott-Auto); **U** *hier negativ für* Waren, Sachen

Schuppen r = einfaches, flaches Gebäude, in dem man Waren oder Geräte lagert

Schuppen *Plural*: es fiel ihr wie S. von den Augen = es wurde ihr plötzlich alles klar

Schürze *e/-n* = ein großes Tuch, das man in der Küche trägt, gegen Schmutz

Schuss *r/"-e* (←schießen) = *hier* jemand schießt mit der Pistole, *engl.* shot

schüttelte (← schütteln): s. den Kopf = *Ausdruck von* 'nein' *durch eine Kopfbewegung*

Selbstbeherrschung *e* (← selbst+beherrschen): seine S. war dahin = er verlor die Nerven, die Kontrolle über sich

sorgfältig = ganz genau, ordentlich

Spitze! = **U** ausgezeichnet, exzellent, große Klasse

sprang ... auf (← aufspringen): 1) die Tür s. auf = öffnete sich schnell; 2) er s. auf = stand schnell auf

sprungbereit = bereit zu springen, bereit zu handeln

Spur *e/-en*: wir sind auf einer S. = wir haben einen Hinweis, der uns zur Lösung führen kann

Spurensicherung *e* = die Polizei schützt den Tatort, damit keine Spuren verloren gehen

Staatsanwalt *r/"-e* = Anwalt des Staates, der in einem Prozess die Schuld eines Täters beweisen soll

starr = unbeweglich, ohne Bewegung
starrte (← starren) = sah unbeweglich geradeaus auf einen Punkt
Stasi *e* = die Organisation für Staatssicherheit der früheren DDR: in S.-Diensten = bei der S. beschäftigt
Stich *r/-e* (← stechen) = S. mit einer Nadel, mit dem Messer
stieß ... zusammen (← zusammenstoßen) = Unfall, bei dem z.B. Menschen oder Autos gegeneinander stoßen
stinkt (← stinken) = 1) etwas riecht nicht gut; 2) ist verdächtig, nicht in Ordnung I
stockte (← stocken): ihm s. der Atem = vor Überraschung hielt er den Atem an
stolperte (← stolpern) = machte beim Gehen einen falschen Schritt und fiel fast hin
Streich *r/-e* = eine kleine, intelligente Aktion gegen jemand, die Spaß macht (z.B. Schüler gegen Lehrer)

Tastatur *e* = alle Tasten eines Computers, einer Schreibmaschine, eines Klaviers
Taste *e/-n* = Stelle mit Buchstaben, Zahlen, Zeichen am Computer/ an der Schreibmaschine, die man drückt
tauchen ... auf (← auftauchen) = erscheinen, unerwartet kommen
Teufel *r* = der böse Geist in der christlichen Religion; der Teufel soll den holen = man wünscht jemand alles Schlechte
tippte ... ein (← eintippen): t. die Daten ein = schrieb die Daten in den Computer
Todesursache *e* (← Tod+Ursache) = der Grund, warum jemand gestorben ist
trau(e) (← trauen): dem t. ich nicht = zu dem habe ich kein Vertrauen, der könnte etwas Böses vorhaben
Treppengeländer *s* (← Treppe+Geländer) = Teil der Treppe, an dem man sich mit der Hand festhalten kann
Trümmer *Plural* = zerstörte Sachen, Ruinen
Tschuldigung = **U** *verkürzt für* Entschuldigung

Überfall *r/"-e* = kriminelle Aktion gegen Menschen, um etwas zu rauben
unauffällig (← un+auffallen) = ohne dass jemand etwas Besonderes bemerkt

unausgeschlafen (← un+ausschlafen) = müde, zu wenig geschlafen
Unerklärliche *s* (← un+erklären): etwas Unerklärliches = was man nicht verstehen oder erklären kann, wie ein Rätsel
Ungerechtigkeit *e* (← un+gerecht) = jemand wird falsch oder böse behandelt, obwohl er nichts Schlechtes getan hat und eigentlich gute Behandlung erwartet hätte

verbergen = verstecken, etwas nicht zeigen
Verdacht *r* = Eindruck, Gefühl, dass etwas nicht in Ordnung ist, dass ein Verbrechen geschieht
verdächtig (← Verdacht, verdächtigen): ein Mann ist v. = er scheint der Täter, der Verbrecher zu sein
Verfolger *r/-* (← verfolgen) = jemand, der mit Absicht hinter einem her geht oder fährt
verfolgt (← verfolgen): er wurde verfolgt = jemand fuhr mit Absicht hinter ihm her
verhört (← sich verhören) = nicht richtig gehört
verhört (← verhören) = von der Polizei oder von einem Richter befragt
vernetzt (← vernetzen) = durch elektronische Netze verbunden
verraten = ein Geheimnis bekannt geben
verschlagen = intelligent und hinterlistig, unehrlich
Versicherungsfritze *r/-en* (← Versicherung+Fritze) = **U** *negativ* Versicherungsangestellter oder -vertreter, wenn man den Beruf unsympathisch oder unseriös nennen will
versteinert (← Stein) = ohne Bewegung, als ob sie aus Stein wäre
verweigerte (← verweigern): v. die Aussage = lehnte ab etwas der Polizei zu sagen
verwickelt (← verwickeln): war in eine Sache verwickelt = hatte damit zu tun, war beteiligt
vorantrieb (← voran+treiben): t. sie mit einer Pistole v. = zwang sie voranzugehen
vorbeischlich (← vorbei+schleichen): er schlich vorbei = er bewegte sich langsam und leise vorbei
Vorschuss *r* = Zahlung eines Teils vom Honorar oder Lohn im Voraus

Waffenschieberei *e/-en* (← Waffen+Schieberei) = Waffen illegal von einem Land zum anderen Land transportieren und verkaufen ; Waffenschieber = der, der das tut

Waffenschmuggel *r* (← Schmuggel mit Waffen): der Schmuggel = der verbotene und geheime Transport von Sachen über die Grenze (z.B. auch Zigaretten, Drogen, Elektronik); Schmuggler = der, der das tut

war: da war ihr, als hörte sie etwas = da hatte sie das Gefühl, als ob sie etwas hören würde

warf (← werfen): *hier* w. ihm einen Blick zu/ w. einen Blick auf sie = sah ihn/sie kurz an

weinerlich (← weinen): ein w. Gesicht = ein trauriges Gesicht, als ob man gleich weinen würde, *hier ironisch*

wirfst (← werfen): (du) w. ein Auge auf Freddy **U**.= (du) passt auf Freddy auf

zerknüllt (← zerknüllen) = Papier, zu einem Ball zusammengedrückt, weil man es wegwerfen will

zerren (← zerren): z. sie ... hinaus = zogen sie/brachten sie schnell und mit aller Kraft hinaus

zitterten (← zittern) = leichte und schnelle Körperbewegung, wenn man friert oder nervös ist

zuckte zusammen (← zusammenzucken) = erschrak, mit kurzer nervöser Bewegung

Zünder *r/-* = oberer Teil einer Bombe, durch den sie explodiert

LANDESKUNDE

INFORMATIONEN • HINWEISE • TIPPS
und Erklärungen zu Wörtern im Text mit '*'

KÖLN

Älteste und größte Stadt am Rhein • 2000 Jahre alt, von den Römern gegründet • Kölner Dom: gotische Kathedrale • berühmter Karneval • Museen: Römisch-Germanisches Museum, Museum Ludwig, Wallraff-Richartz-Museum, Beatles-Museum usw. • Messen und Veranstaltungen: Art Cologne, Medienforum, Optica, Internationale Möbelmesse usw. • Produkte: Schokolade, Kaffee, Kölnisch Wasser 4711 (Eau de Cologne) • Kölner Altstadt mit vielen Kneipen und Brauhäusern, dort auch das Detektiv-Büro.
(s. Stadtplan S. 54)

Weitere Informationen:
Verkehrsamt der Stadt Köln, Tel. 0221/2213345
und über Internet: <http://www.Koeln.org-koelntourismus>.

KÖLNER SPEZIALITÄTEN

Kölsch *das*: typisches Kölner Bier, leicht, gut gelagert, gold-farben, wird aus kleinen, schmalen Gläsern getrunken.

Halve Hahn *der*: ist kein 'halber Hahn' sondern eine Scheibe Holländer Käse mit einem Röggelchen (Brötchen aus Roggenmehl), dazu Mostert (Senf).

Köbes *der/-*: so wird der Kölsche (Kölnische) Kellner in der Kneipe genannt; er trägt traditionell eine große Schürze und bringt das Kölsch (Bier) im 'Kranz' (Tablett mit Stiel).

Kneipe *die/-n*: ein gemütliches Gasthaus oder Trinklokal, wo man im Stehen oder im Sitzen etwas trinken oder essen kann; aus dem lateinischen 'canabae', den Verkaufsbuden der Römer am Rhein.

MEDIEN IN KÖLN

WDR: der Westdeutsche Rundfunk, Fernsehen und Radio; bekanntes Kinderprogramm: 'Die Sendung mit der Maus'.

DEUTSCHE WELLE: Fernsehen und Radio, Sendungen für das Ausland, weltweit zu empfangen.

Programmvorschauen DW-radio und DW-tv via Internet: http://www.dwelle.de • e-mail-Adresse: online@dwelle.de.

EXPRESS: der E., Kölner 'Boulevard-Zeitung', berichtet über Sensationen und Skandale und bringt Stadtinformationen.

Aus Recht und Gesetz:

MUTMASSLICH (der mutmaßliche Täter = man nimmt an, dass er der Täter ist)**:** Das Gesetz erlaubt es nicht, eine Person 'Täter' oder 'Verbrecher' zu nennen, bevor sie nicht rechtmäßig verurteilt ist. Damit soll man dagegen geschützt werden, als Unschuldiger seinen guten Ruf zu verlieren.

WAFFENEXPORT: Export von Waffen und Munition muss in Deutschland amtlich (vom Staat) genehmigt sein. Die staatlichen Kontrollorgane und Institutionen sind das 'Bundesamt für Wirtschaft' und das 'Bundesausfuhramt'. Waffenexporte in Krisengebiete werden generell nicht genehmigt. Waffenhandel ohne Genehmigung ist illegal und wird bestraft.

HINWEIS-SCHILDER

WEGEN RENOVIERUNG
AUSSER BETRIEB

ZUTRITT
VERBOTEN !

TSCHÖ !
Kölnisch für 'Tschüs', 'Auf Wiedersehen!', 'Tschau' (ciao)

Berlin
Köln
Obenmarspforten
Mühlengasse
Gürzenichstr.
Rathaus
Pipinstr.
Heumarkt
Deutzer Brücke

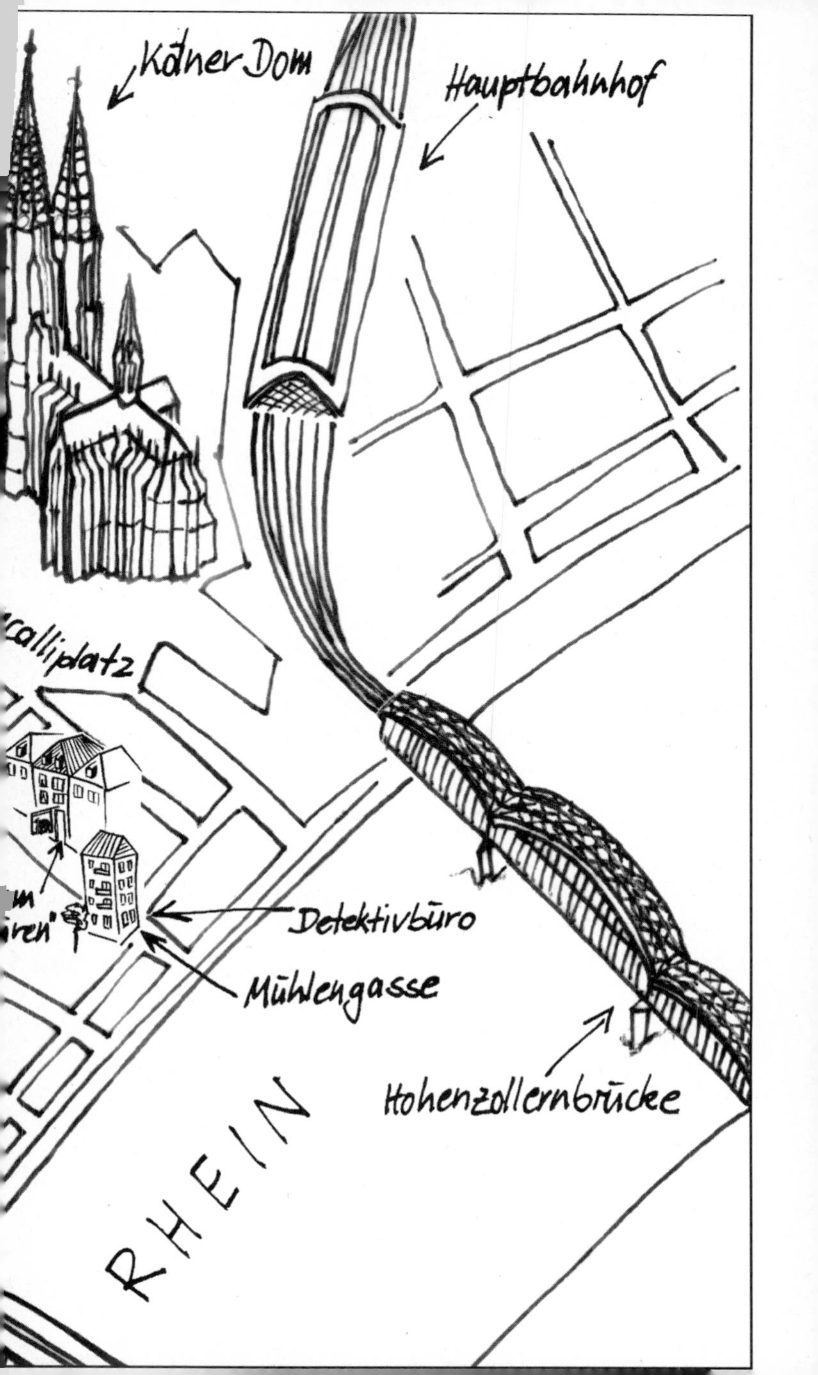

Kölner Dom
Hauptbahnhof
Detektivbüro
Mühlengasse
Hohenzollernbrücke
RHEIN

Lernen im Medienverbund mit STUFEN INTERNATIONAL

Besuchen Sie die STUFEN-Homepage

www.STUFEN.de

Online Service

- **Übungen und Texte zum Ausdrucken**
  ausgewählte Beispielübungen und Texte
- **Zusatzübungen zum Ausdrucken und Kopieren**
  zusätzliches Übungsangebot zum Lehrwerk
- **Hörverstehen interaktiv**
  zu jedem Lehrbuchkapitel 1 gibt es interaktive Übungen zum Hörverstehen
- **Kontakte über die Pinnwand**
  für Lehrerinnen und Lehrer sowie Lernerinnen und Lerner
  Schreiben Sie Fragen oder Themen, die Sie bewegen, an unser Pinboard und lösen Sie eine Diskussion unter Kolleginnen und Kollegen aus, oder nehmen Sie an laufenden Diskussionen teil.